"十二五"国家科技
支撑计划支持项目

AR涂涂乐 II

（多样的职业）

新锐天地 NEW VISION／主编

涂涂动画好欢乐！

1

4D互动立体涂色绘本

海豚出版社
DOLPHIN BOOKS
CIPG 中国国际出版集团

使用说明

如何才能进入会动的涂鸦世界？

① 检查配置

 iOS 苹果iOS平台

支持iOS6.0以上版本系统
支持iPhone5及以上
支持iPad2及以上（包括Air系列）
支持iPadmini系列
支持iPod Touch5及以上

 安卓Android平台

支持装有Android OS 2.2及更高版本系统的ARMv6与FPU构架的处理器
CPU：1000MHz以上（双核）
GPU：395MHz以上
RAM：2GB

* 为保证使用流畅，请在安装之前，确认设备内预留2GB以上的可用容量。

② 下载程序

[方法一]

扫描二维码，根据提示进行下载、安装操作。

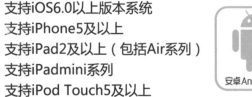

[方法二]

根据设备类型，分别进入手机或平板电脑中的App Store或安卓应用商店，搜索"AR涂涂乐"进行安装。

[方法三]

进入AR魔法学校官网 www.armagicschool.com，在"服务与支持"专区进行下载安装。

③ 正版验证

为了保证使用者的正版权益，首次使用产品App时，需要联网进行正版验证。请您扫描此处"正版验证二维码"，获得正版验证码。一枚验证码可支持的设备有限，请您妥善保管。

AR涂涂乐 II （一）

注意 ≫≫≫≫≫

以下情况可能会造成图像不能被识别：

● 强烈的阳光或灯光直射造成页面反光；

● 昏暗的环境或光线亮度不停变换的环境；

● 在留白以外的非涂色区域内大面积涂色；

● 页面图案有大面积破损、折断、污染、变形等。

1. 进入程序，在《AR涂涂乐Ⅱ》中，点击您所购买的单册书的封面。

2. 扫一扫《使用说明》中的"正版验证二维码"或输入验证码，完成正版验证。

3. 您所购买的《AR涂涂乐Ⅱ》已经解锁，恭喜您已成功进入会动的涂鸦世界，快将摄像头对准宝贝的作品，让惊喜跳出来吧！

界面说明

拍下照片，记录神奇瞬间

回到主界面

获取更多帮助

照片都存在这里哦

中英文语音切换

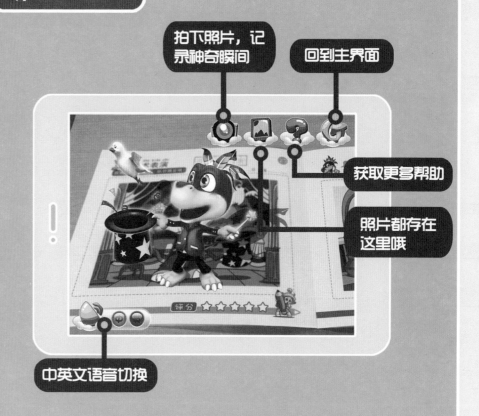

使用须知

- 正版验证之后可以单机使用，无需处于网络环境中；
- 确认手机或平板电脑的扬声器已经打开；
- 请在稳定适度的光照环境下使用，过明或过暗均可能影响图像的识别；
- 在欣赏4D涂鸦动画时，适度调整设备与图画书的距离（适宜范围20~40cm），或者变换、转动设备的角度，从不同方向观看。若超出适宜范围或者脱离识别区域，将导致动画消失，需要再次对准整个画面，重新识别。

【特别提示】

用设备扫描宝贝作品时，最佳的识别方式是将摄像头保持在与作品页面相垂直的方向上。

如果识别失败，您会看到红色的色块，提示您重新调整位置，对准整个画面。

需要帮助吗？

关注AR魔法学校
获取更多资源帮助

shì bīng
士兵
Soldier

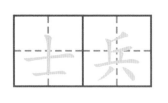

___年___月___日 姓名_____

评分 ☆☆☆☆☆

齐步走，一二一，士兵哥哥有纪律。
稍息立正敬军礼，保家卫国有勇气。

___年___月___日 姓名___

评分 ☆☆☆☆☆

wǔ dǎo jiā

舞蹈家

Dancer

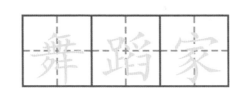

_____年___月___日 姓名_____

7

评分 ☆☆☆☆☆

我是小小舞蹈家，跳起舞来像朵花，
像那蝴蝶天上飞，像那鱼儿水里划。

年＿＿月＿＿日 姓名＿＿＿＿＿

fēi xíng yuán

飞行员

Pilot

飞 行 员

年___月___日 姓名___

评分 ☆☆☆☆☆

飞行员，真勇敢，飞行技术不简单。
开着飞机上云颠，穿越云层冲上天。

____年___月___日 姓名_____

评分 ☆☆☆☆☆

nóng mín
农民
Farmer

农 民

年　月　日　姓名

评分 ⭐⭐⭐⭐⭐

镰刀锄头手中拿，农民伯伯真伟大。
辛勤劳作洒汗水，种出粮食给大家。

____年____月____日 姓名_____

评分 ☆☆☆☆☆

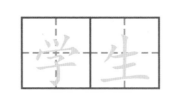

xué shēng
学生
Student

学 生

____年____月____日 姓名_____

评分 ☆☆☆☆☆

背上小书包，我去上学校。
认真听课不迟到，校园生活真美妙。

_____年___月___日 姓名_____

评分 ☆☆☆☆☆

lǎo shī
老 师
Teacher

老 师

____年____月____日 姓名____

Teacher

评分 ☆☆☆☆☆

讲知识，教文化，老师爱我像妈妈。
无私奉献温暖我，桃李芬芳满天下。

年___月___日 姓名_____

评分 ☆☆☆☆☆

hù shi
护 士

Nurse

护士

___年___月___日 姓名___

评分 ⭐⭐⭐⭐⭐

小护士，有爱心，医院里面忙不停。
照顾病人最周到，微笑服务人称好。

年＿＿月＿＿日 姓名＿＿＿＿

评分 ☆☆☆☆☆

警察

Police

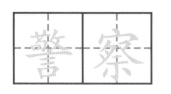

19

年___月___日 姓名___

评分 ☆☆☆☆☆

做警察，责任大，惩奸除恶全靠他。
不怕辛苦帮大家，长大我也当警察。

评分 ☆☆☆☆☆

huà jiā
画家
Artist

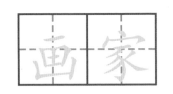

年___月___日 姓名_____

评分 ⭐⭐⭐⭐⭐

mó shù biǎo yǎn
魔术表演

我的魔术表演秀，绝对精彩哦！

魔 术 表 演

____年____月____日 姓名_____

评分 ☆☆☆☆☆

小小画笔手中拿，画出房子是我家，
画出太阳暖洋洋，画得宝贝笑哈哈。

____年____月____日 姓名 _____

评分 ⭐⭐⭐⭐⭐